Christine Angelard

Voyage en pays d'intériorité

ou

comment retrouver le chemin du cœur

FIDES

Catalogage avant publication de Bibliothèque et Archives nationales du Québec et Bibliothèque et Archives Canada

Angelard, Christine

Voyage en pays d'intériorité ou comment retrouver le chemin du cœur

(Collection Corps et âme)
Doit être acc. d'un disque compact.

ISBN 978-2-7621-3060-7 [édition imprimée]
ISBN 978-2-7621-3246-5 [édition numérique]

1. Méditation - Emploi en thérapeutique. 2. Médecine chinoise.
3. Son - Emploi en thérapeutique. 4. Esprit et corps.
I. Titre. II. Titre: Comment retrouver le chemin du cœur.
III. Collection: Collection Corps et âme.

RC489.M43A53 2011 615.8'52 C2010-941911-1

Dépôt légal : 1er trimestre 2011
Bibliothèque et Archives nationales du Québec

La maison d'édition reconnaît l'aide financière du Gouvernement du Canada par l'entremise du Fonds du livre du Canada pour ses activités d'édition. La maison d'édition remercie de leur soutien financier le Conseil des Arts du Canada et la Société de développement des entreprises culturelles du Québec (SODEC). La maison d'édition bénéficie du Programme de crédit d'impôt pour l'édition de livres du Gouvernement du Québec, géré par la SODEC.

IMPRIMÉ AU CANADA EN FÉVRIER 2011

« Le problème aujourd'hui
n'est pas l'énergie atomique,
mais le cœur des hommes. »
A. Einstein

1 | Introduction

À l'heure des communications quasi instantanées avec la planète entière, je vous invite à vous tourner vers vous-même et à vivre une expérience de « retour au centre », de retour à votre intériorité...

Ni prière à une divinité, ni exercice d'ascèse pour « détruire » le mental, la démarche proposée en est une de communication avec soi-même. Le mental est utile, les émotions aussi ont leur rôle de « mise en mouvement » (émotions voulant dire étymologiquement : ce qui nous meult, ce qui nous fait bouger). Il en est de même pour l'égo qui est un aspect de notre personnalité à intégrer plutôt qu'à détruire comme certaines écoles de psychologie essaient parfois de faire... Détruire l'ego reviendrait à n'être plus responsable d'une certaine façon de ses actes, à ne plus rien assumer et à tout subir.

Se prendre pour Dieu tout-puissant comme le fait celui qui a un ego surdimensionné, c'est risquer de se briser les reins, met en garde la médecine traditionnelle chinoise. C'est le sort de tous les dictateurs. Trop de volonté, trop de « moi je ».... devient tôt ou tard insupportable pour l'entourage et pour la personne elle-même...

La démarche spirituelle, simple et facile à mettre en pratique, que je vous invite à explorer dans cet ouvrage vous permettra de mieux intégrer les différentes facettes de votre être.

Ce livret propose une démarche qui vous ramènera au Centre, à votre Cœur, ce Cœur « empereur » de la médecine traditionnelle chinoise qui vous permettra de retrouver en vous l'espace immense et silencieux, lieu de tous les possibles,

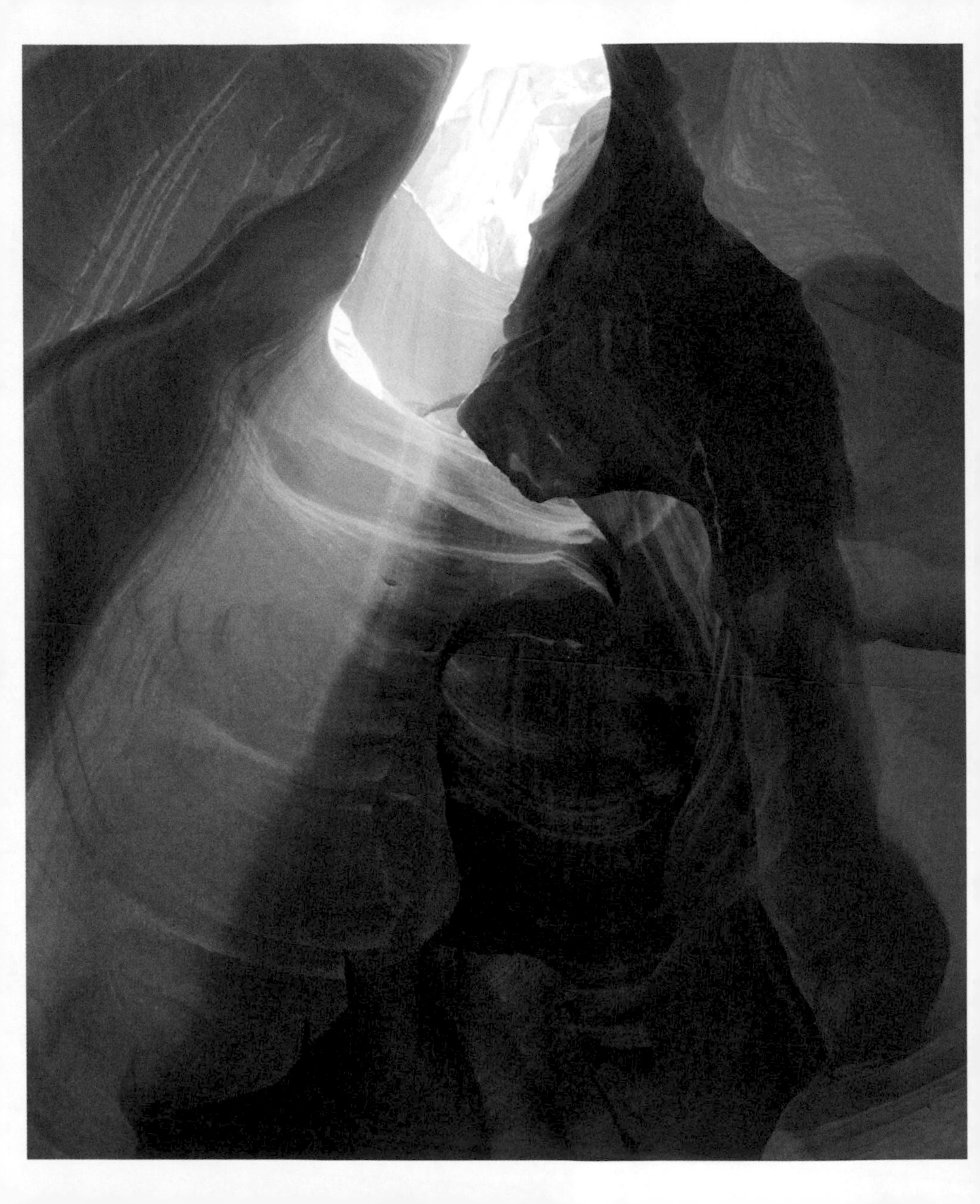

qui ne demande qu'à se révéler… Ce cœur qui, lorsqu'il bat de façon cohérente, est aussi le lieu de guérisons insoupconnées (les travaux de cohérence cardiaque) et ramène enfin l'être humain à sa vraie dimension.

Il n'y a rien de compliqué dans cette approche. Elle n'implique aucun sorcier, gourou ou maître. Le seul maître que vous rencontrerez, vous le connaissez déjà, il est à l'intérieur de vous… En référence à ce cœur empereur, la médecine traditionnelle chinoise parle du « pâle reflet de l'énergie céleste qui est en nous ». Il s'agit juste d'aller le re-trouver. Il a toujours été là…

C'est un voyage de retour qui ne peut que vous faire du bien, que vous éclairer de l'intérieur…

Mental, émotions et… âme. Le grand mot est lâché. Nous sommes en effet des êtres pensants, organisés, rationnels, avec des émotions conscientes et inconscientes qui nous mettent effectivement parfois pas mal « en mouvement »…

Mais aussi et avant tout… nous avons une *âme,* nous sommes des *êtres spirituels* vivant une expérience terrestre…

Le fond de l'humain est bon : le fond de l'humain est amour[1] *!*

Accordez-vous un temps d'arrêt sur vous-même, sur ce qui vous habite, sur l'Être que vous oubliez dans la course à la survie que constitue bien souvent votre vie…

Observez combien vous êtes habile pour vous faire du mal, pour vous compliquer la vie et pour pleurer sur votre sort. À l'inverse, quand vous avez entre les mains un outil pour vous faire du bien, quelle est trop souvent votre réaction ? Vous doutez, vous n'y croyez pas, ou pire, vous ne vous croyez pas capable de l'utiliser, prétextant que c'est trop compliqué…

Cette « ombre », ce sympathique « démon » que vous connaissez bien… qui s'appelle le « saboteur », regardez-le avec

1. Christine Angelard, *La médecine soigne, l'amour guérit,* Montréal, Fides, 2010.

bienveillance, laissez-lui juste un peu de place le temps de lui dire bonjour… et continuez votre route vers la lumière. *Le cœur de vos cellules contient cette lumière : il vous appartient de la laisser passer et de la faire rayonner !*

Nos cellules vibrent à une certaine fréquence et sont sensibles à la lumière et au son : comme elles sont capables de recevoir certaines vibrations, elles en émettraient aussi. Certains travaux très sérieux y font référence[2]…

À nous de reprendre ce potentiel endormi en nous et d'y retrouver une harmonie guérissante. C'est notre responsabilité d'utiliser ce potentiel lumineux et guérissant endormi au tréfonds de nous-même.

2. Fritz Albert Popp, *Biologie de la Lumière. Bases scientifiques du rayonnement ultra faible*, Liège, Éditions Résurgence, Pietteur, 2002.

Ce livret se veut un modeste outil pour vous guider sur ce chemin de retour vers vous-même, vers le meilleur qui est en vous afin d'éclairer votre route et, ce faisant, celle de votre entourage…

Outil de retour à votre Centre, à votre « cathédrale » où se trouvent ce que vous vous évertuez à chercher ailleurs. Comme le disait si bien Christiane Singer : « Où cours-tu si vite… ne vois-tu pas que le ciel est en Toi ! »

Si vous n'êtes pas capable de rester quelques minutes en communication avec ce qui vous habite profondément, comment pourrez-vous entrer en communication véritable avec les autres ?

Si vous n'êtes pas capable de rester en communication avec ce qui vous habite profondément, comment pourrez-vous vivre pleinement cette expérience humaine qu'est la vôtre et ne pas vous perdre dans toutes les fuites possibles qui entraînent tant de souffrance ?

C'est un véritable « tête à cœur » que je vous propose. Pareille démarche qui a sa source dans les traditions les plus anciennes nous est de moins en moins familière et peut même paraître incongrue aux yeux de certains… qui sont à la recherche perpétuelle de stages de « ressourcement et de croissance personnelle ». En ce début de XXIe siècle, l'existence même de tous ces stages prouve bien le manque, le vide, la soif de l'être humain pour une eau qui désaltère, pour une nourriture qui rassasie, pour une communication, voire une communion, qui apaise…

Je ne vais rien vous apprendre ici… dans ce petit livre. Je vais simplement vous guider comme on l'a fait pour moi, vous guider sur un chemin qui vous ramène à vous-même, à votre vérité, à votre essence.

Je vous promets que ce voyage se fera en douceur et vous apportera une paix intérieure, et contribuera à votre équilibre dans ce grand tout qu'est « l'uni-vers ».

Au cœur de l'expérience spirituelle que vous vous apprêtez à vivre, peut-être vous laisserez-vous guider par le souffle du Christ, du Bouddha ou d'un autre prophète. Chose certaine, le Souffle primaire sera à l'œuvre en vous et il vous rendra plus sage *et surtout plus entier.* Vous serez alors pleinement vous-même avec vos limites, vos souffrances, vos points noirs enfin apaisés et intégrés à votre grand Tout, à votre être qui est aussi lumière paix et amour.

Le fond de l'Être est bon et cette bonté s'exprime, pourvu qu'on parvienne à apaiser ces « paquets » de mémoires et de chagrins qui nous habitent. Au lieu de chercher à les éloigner, il faut parvenir à les intégrer.

C'est ainsi que fonctionne le corps humain. Lorsqu'un corps étranger s'introduit dans l'organisme, notre armée de globules blancs le phagocyte, c'est-à-dire l'intègre, l'absorbe pour mieux le connaître et envoie l'ordre au reste du corps de fabriquer des anticorps pour se protéger et pouvoir le reconnaître s'il fait à nouveau irruption… C'est ce qu'on appelle la réaction inflammatoire : l'écharde, le virus nouveau, provoque une réaction vive, voire douloureuse… mais pendant ce temps, notre corps apprend à connaître « l'ennemi » et à l'éliminer « normalement », physiologiquement. Quand l'intrus est trop virulent ou le corps trop affaibli… on a recours à la médecine qui vient aider ce processus.

On peut faire un parallèle avec les « paquets » de mémoires et de chagrins dont nous n'arrivons pas à nous défaire et qui nous empoisonnent la vie... Nous pouvons intégrer ce qui nous a blessé, ce qui nous a abîmé, en y mettant encore plus de lumière... et ce qui sera ainsi intégré sera aussi un jour ou l'autre cicatrisé, et « sauvé ».

Cette lumière qui vient de l'intérieur ne dépend de personne d'autre que de vous-même. Il est temps d'en prendre conscience ! Et de l'utiliser.

Ce parcours emprunte justement le chemin vers la lumière sise à l'intérieur de vous-même.

◈ ◈ ◈

Vous ne trouverez pas ici une recette pour éliminer les soucis de votre vie. Il n'y a non plus aucune garantie d'atteindre un quelconque état de perfection. Quand vous aurez terminé la lecture de ces pages, vous ne serez pas plus « évolué ». Vous vous serez simplement approché un peu plus de qui Vous êtes vraiment.

Ce livret est simplement un compagnon sur la route qui vous mène à vous-même. À la fin de la démarche qui vous est proposée, vos limites seront toujours là, mais elles ne seront plus un obstacle vous empêchant d'avancer, elles ne seront plus aussi lourdes à porter. Elles auront été intégrées et ne limiteront plus l'Être qui vous constitue !

Vous vous serez enfin connecté à la lumière intérieure qui peut apaiser en vous ce qui doit l'être et nourrir votre Être tout entier...

2 | Outils proposés

Cette méditation est née d'une rencontre entre deux cultures : la culture judéo-chrétienne et la culture plurimillénaire de la médecine chinoise.

La première partie de ce voyage au centre de nous-même est basée sur une expérience de reconnection aux éléments, sur un repositionnement de l'humain à sa vraie place et à sa vraie dimension, par la pratique de la méditation.

Cette pratique de la méditation, qui m'a été transmise par Jean-Yves Leloup, remet l'être humain à sa juste place. Elle lui fait prendre conscience de sa matière, la lui fait accepter et l'accompagne sur un chemin de réalisation, de croissance plus que de détachement.

Jean-Yves Leloup a lui-même appris cette pratique des moines du mont Athos… au moment où, tout jeune, alors qu'il était totalement ignorant de tout enseignement religieux, il s'était rendu au monastère pour apprendre à prier.

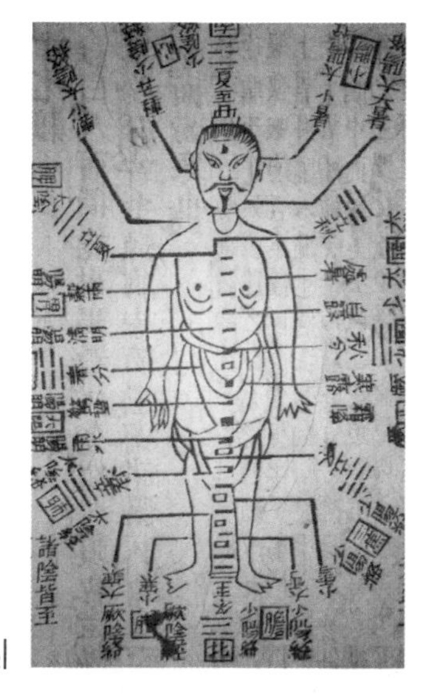

Cet enseignement rejoint merveilleusement l'approche de l'humain dans la tradition de la médecine traditionnelle chinoise, où l'Homme est un pont entre le Ciel et la Terre. Toutes les cultures se retrouvent vers ce Centre que l'on nomme différemment, mais qui n'est autre que le moyeu de nos vies humaines. Toutes les routes mènent au même puits… même si ces routes portent différents noms issus de traditions religieuses ou philosophiques. Et ce puits est alimenté par la même source : l'étincelle sacrée qui a donné la vie, qui Est la vie.

La deuxième partie, faite de sons émis et modulés par la voix, utilise le pouvoir guérisseur ou du moins harmonisant de la voix.

Le son est une vibration qui interfère sur nos molécules de façon concrète.

Qu'on se réfère aux travaux de Masaru Emoto et à ses ouvrages sur l'impact d'un son, d'une musique sur les molécules d'eau. Nous sommes constitués de 70 % d'eau et il est maintenant évident qu'il y a une résonance au niveau cellulaire des sons émis ou prononcés.

Les sons utilisés dans cette pratique sont les cinq voyelles des langues latines qui seront utilisées pour mettre en résonance les cinq organes trésors de la médecine traditionnelle chinoise (MTC) : les reins, le foie, le cœur, la rate-pancréas, les poumons.

Le **i** correspond aux reins, à la force
de verticalité ; les reins incluant l'hiver, le froid
noir, les peurs, les os, l'ouïe : tout ceci
en relation avec l'élément **Eau** ;

Le **é** correspond au foie et donc aux tendons,
aux muscles, au mouvement, à l'œil, à la vision,
au printemps, au vert, à l'affectif du manque :
tout ceci en relation avec l'élément **Bois** ;

Le **O** correspond au cœur, à l'élément **Feu** avec l'été, le rouge, le système artériel ; l'amour, le toucher et le chant sont reliés à cet élément ;

Le **OU** correspond à la rate et au pancréas :
avec le brun ocre, les tissus conjonctifs et adipeux,
le système hormonal féminin, la circulation
lymphatique, et l'humidité, le mental raisonné et
raisonneur ; les inter saisons et le goût sont sous
la dépendance de la rate, du pancréas et de son
élément **Terre** ;

Le a correspond au poumons et donc au blanc bleuté, à la peau, à la tristesse existentielle, à la nostalgie, aux systèmes neuro-végétatifs automatiques qui maintiennent les grands mécanismes de survie, à l'olfaction : tous les éléments de l'Éther ou du Métal selon la MTC.

Selon les travaux de Jean-Pierre Giuliani (*L'alphabet du corps humain*) et de Marc-Alain Ouaknin (*Tsimtsoum. Introduction à la méditation hébraïque*), l'émission de ces cinq voyelles en fin d'expiration provoque un automassage vibratoire des organes profonds.

Marc-Alain Ouaknin[3] confirme l'importance de ces cinq sons : « L'expiration se fait après rétention du souffle et s'accompagne de l'émission d'un son vocalitique qui a pour but de réguler la lenteur et la régularité du souffle... [...] Dans une attitude de recueillement, il faut se concentrer sur l'émotion qu'éveille la voyelle... Le massage vibratoire met en circulation des tensions accumulées dans les tissus qui sont ensuite éliminées tandis que l'afflux de sang bien oxygéné nourrit les cellules. »

3. Tsimtsoum. *Introduction à la méditation hébraïque.*

Dans les textes bibliques, en langue hébraïque, ces voyelles apparaissent sous forme de points, situés en haut, en bas ou au milieu des consonnes :

H'olam (**o**) tonifie le cœur = élément feu
Quamats (**a**) tonifie le poumon = élément métal
Tséré (**é**) tonifie le foie = élément bois
H'iriq (**i**) tonifie les reins = élément eau
Qoubouts (**ou**) tonifie la rate et le pancréas = élément terre.

Ce qui est fascinant et réconfortant à la fois, c'est d'entrevoir les liens qui existent entre toutes ces traditions plurimillénaires. Les traditions hébraïques aussi bien que celles de la Chine ancienne utilisent des sons pour épurer, tonifier les organes vitaux que sont le cœur, la rate-pancréas, les poumons, les reins et le foie.

◈ ◈ ◈

Les sons proposés par Jean-Yves Leloup et les moines du mont Athos sont ceux de la tradition chrétienne : on les retrouve dans le *Kyrie Eleison*.

Vibratoirement parlant, par les fréquences particulières de ces lettres grecques et par le message qu'elles portent, ce mantra a le pouvoir de guérir l'âme de celui qui y adhère et le pratique.

Pour ma part, je propose d'élargir cette pratique en utilisant uniquement les cinq sons des voyelles qui mettent en résonance les cinq organes trésors de la médecine traditionnelle chinoise. De cette manière, la pratique n'est plus liée à une seule tradition spirituelle et se prête à une utilisation plus neutre sur un plan thérapeutique.

Précision importante pour les personnes habituées au Qi Kong : il ne s'agit pas des sons guérissants utilisés dans cette

pratique (il en existe six pour drainer les énergies négatives des organes). Dans l'approche que je présente, les cinq sons proposés mettent en résonance, en vibration les cinq organes trésors. Il ne s'agit pas de traiter, mais d'harmoniser et de ressentir en faisant résonner les cinq organes trésors de la médecine traditionnelle chinoise. Je me retrouve sur le chemin de « Tsimtsoum » qui signifie « faire retrait en soi-même » pour retrouver l'Être qui m'habite. Selon la tradition hébraïque, Dieu « s'est retiré » de sa création pour qu'elle soit au monde, pour qu'elle existe.

Même si ma démarche tente d'être la plus neutre possible sur un plan spirituel, en faisant tout simplement résonner les cinq organes trésors de la médecine traditionnelle chinoise pour harmoniser ce corps qui me constitue... je retrouve le divin ou, du moins, le souffle sacré qui s'exprime en moi. Je retrouve le sacré au cœur du vivant, au cœur du son.

D'un bout à l'autre de la planète, d'une culture spirituelle à une autre, la modulation de la voix sur un mantra — chrétien ou non — rejoint le sacré qui est inscrit au cœur des cellules de l'être humain.... En épurant la matière de ses émotions et de son mental, la modulation de la voix sur un mantra permet de relier cette matière qui est bonne à son essence divine.

Cela est beau... et cela est bon !

3 | Pratique

Transmise par l'expérience de Jean-Yves Leloup, qui lui-même l'a reçue du père Séraphin au mont Athos, la première partie de ce voyage fait appel aux éléments.

Avant de vouloir être « Homme », il faut intégrer les différents éléments et ainsi avoir une chance de retrouver notre juste place...

Apprenons donc à méditer, à nous replacer, à nous dé-po-ser quelques instants... au milieu de l'univers, au lieu de chercher à en être le maître...

En premier lieu — bien assis confortablement, au calme et sans source de stimulation visuelle ou auditive qui pourrait nous éloigner de notre route —, commençons par nous dé-po-ser tranquillement, lourdement même...

Déposons-nous comme... une montagne

Une montagne, c'est posée là, immuable, c'est lourd...

C'est là depuis des millénaires et ça le sera encore probablement pendant plusieurs millénaires.

Une montagne, c'est dense, c'est solide, c'est immobile, c'est incontestable.

Ma matière elle aussi est là, déposée, ni bonne ni mauvaise, juste là, dense aussi, vivante...

Et j'accueille cette densité en moi ; j'accueille ma matière.

Et j'accueille la montagne en moi.

Je ressens la densité de mon corps posé là dans le fauteuil, sur la chaise.

Je prends contact avec ma matière.

Je sens mon corps posé juste là immobile, lourd.

Mon corps fatigué ou plein de vie.

Ma matière qui est là vivante avec ses douleurs ou ses limitations peut-être...

Juste là.

Accueillir l'immobilité, quels que soient les bruits environnants qui peut-être existent en ce moment.

Juste revenir à cette densité, à cette matière qui me constitue.

Revenir à l'immobile, revenir à la densité.

Accueillir ma matière au travers de laquelle l'Être qui est en moi vit.

Toutes mes expériences spirituelles ou autres se vivent au travers de cette densité et c'est cette densité qui est le témoin de mon incarnation.

Nous sommes des êtres spirituels vivant une expérience d'incarnation. Avant de vouloir rejoindre l'esprit… apprenons à accueillir le réceptacle de l'esprit : le corps, tel qu'il est, avec ses plaintes et ses bonheurs.

Je laisse aller les pensées qui roulent et se bousculent dans ma tête et je reviens à la montagne, à l'immobilité, à la matière.

Mon corps est lourd et je l'accueille tel qu'il est là, maintenant, juste là ; et cela est bien.

Et puis… sans rien perdre de cette densité, sans rien perdre de la montagne en moi, toujours en laissant aller les pensées — il suffit de les laisser passer, de ne pas s'y arrêter —,

je vais essayer de prendre contact avec l'Arbre, apprendre à « méditer », à me recentrer comme un arbre.

Un arbre a ses racines en terre et ses frondaisons au ciel.

Les arbres sont nos grands maîtres : ponts entre Ciel et Terre, ils se laissent tranquillement agiter par le vent sans rien craindre, confiants en leurs racines.

Je prends contact avec l'arbre qui est en moi : mes racines solidement, lourdement ancrées au sol ;

je sens en moi cette verticalité qui prend naissance dans mon sacrum et monte le long de mon axe de vie : le long de ma colonne vertébrale jusqu'au crâne.

Comment se fait la circulation dans cet axe de vie... ? ou est-elle entravée, bloquée ?

Et je laisse aller mes pensées...

Je reviens à mon axe de vie, à cet arbre qui vit à l'intérieur de moi.

Je me relie, j'accueille l'arbre qui est en moi, plus ou moins souple, plus ou moins souffrant : juste le ressentir et le visualiser...

Sentir cette verticalité qui me pousse à toucher moi aussi « mon ciel ».

Sans rien perdre de ma densité, en décollant juste un peu mon dos de la chaise ou du fauteuil, j'écoute l'arbre qui vit au dedans de moi ; je sens cette verticalité, cette force qui pousse mon être à grandir.

Cette matière, cette densité a un axe qui la pousse vers le haut, qui l'oriente vers le Ciel.

L'arbre de vie circule au milieu de ma colonne vertébrale, plus ou moins librement, mais il circule et me pousse à devenir un « Homme » debout ! Je prends conscience de cette trajectoire verticale qui me constitue.

C'est à l'intérieur des os de la colonne que sont fabriquées nos cellules sanguines : c'est bien là mon axe de vie. C'est à l'intérieur de cette verticalité que se crée et que circule la VIE.

Je prends conscience de cet axe de vie, de cet arbre de vie.

Je prends conscience de ma verticalité en devenir...

Je visualise la lumière circulant dans cet arbre de vie, dans ma verticalité, dans ma colonne vertébrale. Cette lumière peut être un mince filet ou un canal. Mais je visualise toujours la lumière à l'intérieur de mes os.

Je prends le temps de goûter cela... Cela est bien.

Puis, sans rien perdre de ma densité, sans rien perdre de ma verticalité, toujours en laissant passer les pensées — il suffit de les laisser passer, de ne pas s'y arrêter —,

je vais apprendre à « méditer » comme l'océan, prendre contact avec l'océan qui est en moi.

L'océan, avec son flux et son reflux... ce souffle qui anime toute chose.

Je prends contact avec mon flux et mon reflux à l'intérieur des cellules de mon corps, en inspirant, puis en expirant...

Ce souffle qui m'anime depuis mon premier cri et jusqu à mon dernier souffle.

Ce souffle qui anime ma matière, ma verticalité, qui circule à l'intérieur de moi.

Comme l'océan, je suis moi aussi soumis au flux et au reflux.

Je suis aspiré dans le grand tout et expiré dans le grand tout à chaque respiration.

J'inspire, et j'expire... tranquillement...

Et je porte attention, tout simplement, à ce souffle de vie qui circule au dedans de moi : plus ou moins facilement... mais qui est là, ténu, tenace, fort ou faible...

Ce souffle qui fait de moi un Être participant du VIVANT.

Comme l'océan, il y a peut-être de l'écume : c'est-à-dire, pour moi, des pensées qui se bousculent, de l'agitation dans ma respiration.

Mais comme l'océan, si je porte attention à ce souffle qui est le mien, si j'écoute tranquillement, je peux peut-être commencer à ressentir le calme, le grand calme des profondeurs…

Quel que soit mon souffle, juste y porter attention et sentir ce lieu de passage entre inspiration et expiration… où tout peut se déposer, s'agrandir dans une paix insondable.

C'est au creux de ma respiration que le Vivant se loge. C'est au creux du flux et du reflux que j'apaise mon mental affolé. Inspirer, expirer. Tout simplement. M'en tenir à ce bercement qui m'habite et que je retrouve avec bonheur.

Sans rien perdre de ma densité, sans rien perdre de ma verticalité... j'écoute ce qui anime mon Être... je porte attention à ce mystère... et je goûte cela...

Et cela est bien.

Puis... sans rien perdre de ma densité, sans rien perdre de ma verticalité, de mon axe, sans rien perdre du souffle qui m'anime,

je vais apprendre à méditer comme l'oiseau, intégrer l'oiseau en moi.

L'oiseau lance son chant au ciel : une simple vibration qui appelle, qui dit, qui témoigne.

Une simple vibration qui anime la matière et la met en relation avec les autres ou avec le Ciel...

Cette densité qui me constitue, cette verticalité qui m'oriente, ce souffle qui m'anime... a sa raison d'être dans la vibration qui va en naître : l'homme est un être de Parole.

Parole qui structure, qui élève, qui crée par opposition aux paroles qui détruisent, qui abîment. L'homme est un être qui doit retrouver sa parole et toute la force de cette vibration. L'homme a aussi son cri à retrouver, à exprimer, pour apaiser son mental agité, pour ouvrir une voie de passage vers sa divinité.

Cette matière, orientée, animée est faite pour vibrer, pour résonner et ainsi communiquer avec les autres, mais aussi avec son essence par l'intermédiaire de ces vibrations mêmes.

Retrouver le chemin des profondeurs où sont inscrites toutes les données de sa vie, toute la grandeur de son Être.

Se relier à « l'Essence Ciel » en harmonisant son corps, en l'intégrant dans ce ressenti lumineux d'Être, à la fois unique et complet, relié à sa Source.

Et c'est là qu'interviennent les cinq sons qui mettront en résonance nos cinq organes trésors selon la médecine traditionnelle chinoise. Comme l'oiseau, nous allons moduler ces cinq sons : simplement, en portant attention aux émotions ressenties, libérées surtout ; sans rien vouloir...

Sans rien faire d'autre que moduler ces cinq voyelles suivant un ordre précis... et ressentir.

Juste cela.

Ressentir le bien-être de ce dépoussiérage de nos tensions accumulées dans notre corps et dans nos organes. Et laisser l'âme agir, opérer,

faire résonner en soi les lettres i, é, o ou a avec leur couleur correspondante.

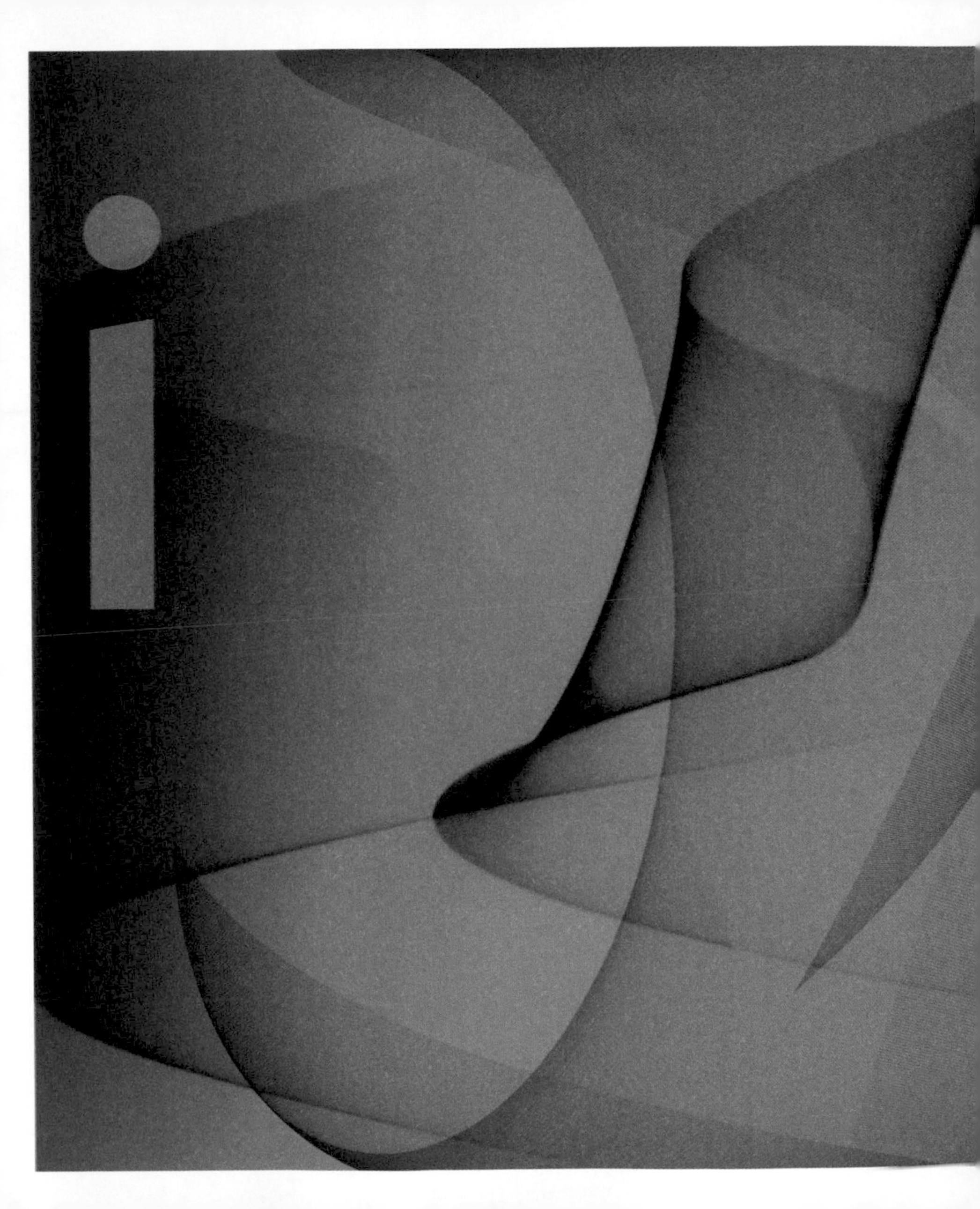

Donc, toujours bien ancré, sans rien perdre de sa densité ni de sa verticalité et en portant attention à son souffle, nous allons commencer sur une fin d'expiration par moduler le son **i**, qui met en résonance l'énergie des reins ;

en visualisant derrière nos paupières closes la **couleur bleue marine** (on n'utilise jamais le noir en visualisation, même si le noir est la couleur des reins : le bleu marin le remplace dans ce cas).

... sur une fin d'expiration, moduler le son i en reprenant au besoin son souffle. Sans forcer, juste moduler la voyelle i et sentir la vibration de ce son dans le corps, principalement au niveau des lombes.

Observer... et moduler... **iiiiiiiiiiiiiii**... quelques minutes, puis tranquillement revenir au silence en étant attentif à sa vibration dans son corps.

Revenir toujours à la montagne, à l'arbre, à l'océan et à l'oiseau qui est juste là et qui vibre. Laisser passer les idées... laisser passer les bruits.

Et on enchaîne, toujours sur une fin d'expiration… sur le son **é**, qui, lui, met en résonance le foie,

tout en visualisant la **couleur verte** derrière ses paupières closes…

… sur une fin d'expiration, moduler le son é en écoutant dans son corps, sous les côtes à droite, ce qui résonne au niveau du foie : tout simplement porter attention à la vibration et moduler le son é.

Sans forcer, en reprenant le souffle si besoin… on laisse s'exprimer (au sens étymologique, *ex primer* signifie sortir du corps) les tensions accumulées au niveau du foie.

Et on laisse passer les idées : on reste centré : dense, vertical, animé du souffle et on le laisse agir sur cette vibration du **éééééééééééé** quelques minutes…

Puis doucement, on revient au silence en étant attentif à sa vibration dans son corps…

◈ ◈ ◈

é

Tranquillement, sans rien perdre de la densité de son axe et de son souffle, on enchaîne avec le son **O** : un beau o, bien rond qui met en résonance l'organe du cœur,

tout en visualisant une belle **couleur rouge** derrière nos paupières closes...

... sur une fin d'expiration, moduler tranquillement le son o et ressentir ce doux nettoyage à l'œuvre dans nos cellules.

Rien vouloir, juste porter attention à la montagne, à l'arbre, à l'océan et moduler le son o... et ressentir...

oooooooooooooooooo... quelques minutes.

Puis doucement revenir au silence et écouter la vibration du silence à l'intérieur du corps.

Et on enchaîne sur le son **ou** qui, lui, met en résonance l'organe trésor rate-pancréas,

en visualisant une **couleur marron** ocre…

… sur une fin d'expiration, moduler le son ou, sans rien perdre du ressenti qui se passe au niveau de notre rate-pancréas (à gauche, sous les côtes)… **ououououou**… quelques minutes, et ressentir, laisser aller les pensées ; juste rester centré sur le son !

Puis doucement… revenir au silence… et ressentir…

ou

Enfin, on achève avec le son **a** qui met en résonance l'énergie du poumon,

tout en visualisant une **couleur blanc bleutée** très pâle...

... sur une fin d'expiration, toujours sans forcer, moduler le son a et prendre le temps de ressentir le nettoyage qui se passe à l'intérieur de notre poitrine, de notre être tout entier.

Sans forcer, juste moduler et laisser être...

aaaaaaaaaaa...

Et enfin, on revient tranquillement au silence.

Ayant intégré la montagne, l'arbre, l'océan, et l'oiseau… ayant retrouvé notre juste place… nettoyé de nos tensions et de nos parasites affectifs ou intellectuels… nous sommes maintenant prêt à méditer comme un HOMME, c'est-à-dire à entendre la part du divin inscrite au cœur de nos cellules, la part du divin qui ne demande qu'à s'exprimer.

Nous pouvons maintenant rester en silence et porter attention à cet espace infini qui se dégage à l'intérieur de notre être : lieu de tous les possibles, lieu de toutes les réponses, et méditer pour notre bien-être et le bien-être de tous…

4 | Conclusion

Si je ne peux pas me retrouver tous les jours en silence avec moi-même... je ne pourrai prétendre retrouver les autres...

C'est ce qu'enseigne la légende taoïste de la calèche. Cette légende met en scène une calèche des temps anciens qui avance sur la route, conduite par deux chevaux et dirigée par un cocher...

Selon cette légende taoïste que Platon aurait aussi reprise à son époque, la calèche représente notre corps. Les chevaux qui tirent, ce sont nos émotions... qui nous tirent parfois aussi à hue et à dia. Le cocher, c'est notre mental. Et la route, notre chemin de vie. De la qualité de conduite du cocher va dépendre le confort du voyage...

Or, il arrive qu'à un moment donné, il n'y ait aucune indication sur le chemin, ou que survienne un carrefour sans panneau indicateur, ou un épais brouillard qui masque le chemin...

Trois attitudes sont possibles.

La première est celle de faire confiance aux chevaux : ils sauront toujours aller là où il faut. Peut-être... ou peut-être pas... On prend un risque en laissant faire ainsi les émotions qui prennent alors le dessus de la situation.

La deuxième est celle de faire confiance au mental raisonneur et raisonné : le cocher sait, a appris à lire cartes et étoiles... étudie, calcule, suppute et choisit une voie. Peut-être est-ce la bonne, peut-être n'est-ce pas la bonne... Là aussi, il y a un risque de se tromper et de faire fausse route.

La troisième attitude, enfin, est celle qui choisit de faire confiance au passager de la calèche, c'est-à-dire que le cocher va se retourner vers l'intérieur de la calèche, et

demander au passager qui s'y trouve, à l'abri derrière ses rideaux, quel chemin prendre, quelle est la véritable destination, quelle est l'heure à laquelle il souhaite arriver.

Car à l'intérieur de la calèche se trouve le passager, l'Être, le Soi, qui, lui, sait par quel chemin l'on doit passer, et la destination finale. Mais pour entendre le passager, encore faut-il lui laisser la parole, faire taire les chevaux (émotions), les bruits de la route (société) et l'ego persuadé parfois de tout savoir...

Pour entendre le passager, il suffit de se retourner vers l'intérieur, de faire acte de conversion au sens étymologique du terme (se retourner). Quelle plus belle conversion que celle qui nous met en contact avec nous-même.

Le retour au centre. Le retour au moyeu de la roue d'où partent tous les rayons et dont dépend la qualité de la roue. De notre centre retrouvé, libéré de nos peurs et de nos tensions, dépendent notre qualité de vie et plus encore notre réalisation : le pourquoi de notre incarnation. Ce n'est pas rien. C'est ce que toutes les traditions enseignent.

Mettons de côté tous ces savoirs érudits qui nous éloignent de l'essentiel… pour juste faire silence et écouter… Tout ce que l'on doit savoir est à l'intérieur de notre être…

Pratiquons un peu plus l'écoute de notre passager pour que notre voyage soit agréable et vaille vraiment quelque chose… Prenons le temps tous les jours d'entrer en contact avec le passager, le sage qui est en nous… afin de grandir et de nous réaliser… La tradition amérindienne nous le rappelle à sa façon : « L'homme qui s'est assis sur le sol de ton tipi pour méditer sur la vie et son sens, a su accepter une filiation commune à toutes les créatures et a reconnu l'unité de l'univers ; en cela il infusait à son être l'essence même de l'humanité. Quand l'homme primitif abandonna cette forme de développement, il ralentit son perfectionnement. » (T.C. McLuhan, *Pieds nus sur la terre sacrée*)

Faisons un petit pas tous les jours dans cette direction… c’est à partir de petits pas comme cela que l’on entreprend le plus long des voyages : celui qui part de la tête et qui arrive au cœur !

Crédits photographiques

Première de couverture : © Katarzyna Krawiek/iStockphoto

Page 5 : © Flaming Pumpkin/iStockphoto ; p. 7 : © Aydin Mutlu/iStockphoto ; p. 8 : © Neo Edmund/Shutter stock ; p. 11 : © Grigori Bibikov/iStockphoto ; p. 13 : © Sara Winter/iStockphoto ; p. 15 : © Dmitry Mordvintsev/iStockphoto ; p. 16 : © Benjamin Goode/iStockphoto ; p. 19a : © Voylodyon/iStockphoto ; p. 19b : © Dimtriy Filippov/iStockphoto ; p. 19c : © Andrejs Zemdega/iStockphoto ; p. 21 : © Zambezishark/iStockphoto ; p. 23 : © Ooyoo/iStockphoto ; p. 24 : © Nickos/iStockphoto ; p. 26 : © William Britten/iStockphoto ; p. 27 : © Heinrich Volschenk/iStockphoto ; p. 28 : © Manuel Gutjahr/iStockphoto ; p. 29 : © Xxapril/iStockphoto ; p. 30 : © Xavi Arnau/iStockphoto ; p. 33 : © Martin Maun/iStockphoto ; p. 34 : © Bartosz Turek/iStockphoto ; p. 37 : © Diane Miller/iStockphoto ; p. 38 : © Jean-Edouard Rozey/iStockphoto ; p. 41 : © Jeannette Meier Kamer/iStockphoto ; p. 45 : © Ryan Lindsay/iStockphoto ; p. 47 : © Sergey Chushkin/iStockphoto ; p. 48 : © Àlex Culla I Vinals/iStockphoto ; p. 50 : © Olgaza/iStockphoto ; p. 53a : © Amygdala_imagery/iStockphoto ; p. 53b : © Craig Hansen/iStockphoto ; p. 53c : © Ingmar Wesemann/iStockphoto ; p. 54a : © Kshishtof/iStockphoto ; p. 54b : © Ingmar Wesemann/iStockphoto ; p. 55 : © Ron and Patty Thomas Photography/iStockphoto ; p. 56 : © AVTG/iStockphoto ; p. 59a : © Ingmar Wesemann/iStockphoto ; p. 59b : © 123render/iStockphoto ; p. 59c : © Frank Lombardi Jr/iStockphoto ; p. 60 : © Noam Armonn/iStockphoto ; p. 61 : © AVTG/iStockphoto ; p. 62 : © Reniw-Imagery/iStockphoto ; p. 65a : © Elena Elisseeva/iStockphoto ; p.65b : © Bret Hillyard/iStockphoto ; p. 65c : © Margot Hickson/iStockphoto ; p. 66 : © Konradlew/iStockphoto ; p. 67 : © Miguel Angelo Silva/iStockphoto ; p. 69 : © Scott Cartwright/iStockphoto ; p. 70 : © Suemack/iStockphoto ; p. 71 : © Julie Camilleri/iStockphoto ; p. 72 : © Irina_QQQ/Shutterstock ; p. 74 : © Duncan Walker/iStockphoto ; p. 77 : © Ali Mazraie Shadi/iStockphoto ; p. 78 : © Ali Mazraie Shadi/iStockphoto ; p. 81 : © Ali Mazraie Shadi/iStockphoto ; p. 82 : © Ali Mazraie Shadi/ iStockphoto ; p. 85 : © Peter Zelei/iStockphoto ; p. 86 : © Sondra Paulson/iStockphoto ; p. 89 : © Robert Kohlhuber/iStockphoto ; p. 90 : © Silverjohn/iStockphoto ; p. 93a : © Andrejs Zemdega/ iStockphoto ; p. 93b : © Michel Westhoff/iStockphoto ; p. 94 : © Antoine Beyeler/iStockphoto.

Références bibliographiques

Jean-Yves Leloup, *La montagne dans l'océan. Méditation et compassion dans le bouddhisme et le christianisme,* Paris, Albin Michel, 2007.

Jean-Pierre Guiliani, *L'alphabet du corps humain,* Labège, Éditions Arkhana vox, 1999.

Marc-Alain Ouaknin, *Tsimtsoum. Introduction à la méditation hébraïque,* Paris, Albin Michel, coll. « Spiritualités vivantes poche », 2006.

Christiane Singer, *Où cours-tu ? Ne sais-tu pas que le ciel est en toi ?,* Paris, LGF, coll. « Le livre de poche », 2007.

Table des matières

Ce livre a été imprimé au Québec en janvier 2011
sur les presses de Transcontinental impression.